Wilhelm Busch

> Max y Moritz son dos niños muy traviesos, los más traviesos del mundo. Aquí os contamos dos de sus aventuras, las dos finales, con las ilustraciones originales.
> Pero de tantas travesuras como hacen, tarde o temprano, alguien les dará una lección…

ADAPTACIÓN, EJERCICIOS Y NOTAS MARTA ARCINIEGA
ASESORAMIENTO ANGELA MARTÍ
EDITING MICAELA SÁNCHEZ VIGORELLI
DIBUJOS ORIGINALES

PRIMERAS LECTURAS
UNA COLECCIÓN DEDICADA A GRANDES Y PEQUEÑOS,
PARA DISFRUTAR LEYENDO HISTORIAS ENTRETENIDAS
ESCRITAS CON UN LENGUAJE ASEQUIBLE
A TODOS LOS PÚBLICOS.

La Spiga languages

LA QUINTA TRAVESURA

Max y Moritz son los peores traviesos[1]
que hayáis conocido nunca.
Los domingos, los periódicos
están llenos de sus travesuras[2].
Engañan a la gente,
hacen daño a los pequeños,
molestan, acosan y roban
dinero a sus compañeros.
De sus delitos y diabluras[3]
se sienten muy satisfechos.
Pero es inminente, me temo,
un final peliagudo[4] y violento.

1. **travieso:** revoltoso, inquieto, que hace acciones malas.
2. **travesura:** acción mala de poca importancia.
3. **diablura:** travesura.
4. **peliagudo:** difícil, complicado.

✎ **Escribe algunas travesuras "típicas".**

Meter los dedos en el enchufe.

....

....

....

....

....

....

✎ **Ahora recuerda alguna travesura que hiciste tú de pequeño.**

....

....

....

....

....

....

Pascua llega pronto
y los pasteleros de la aldea[1]
ya están manos a la obra[2]
preparando cosas buenas.
Bollos, rosquillas, bizcochos
se van alternando en los hornos,
y ese aroma delicioso
Max y Moritz olfatean.
El pastelero se marcha,
es el momento propicio[3],
pero echa la llave a la puerta
y cierra bien los postigos[4].

1. **aldea:** pueblo con pocos habitantes.
2. **están manos a la obra:** están trabajando.
3. **propicio:** adecuado, bueno.
4. **postigos:** puertas de las ventanas.

✎ **Prepara una receta utilizando algunos de estos ingredientes.**

harina · leche · aceite · levadura · coco ·
azúcar · manzana · sal · huevo ·
almendra · crema pastelera · azúcar glas
· agua · rallado · gramos · cucharada ·
pellizco · rodaja · cucharadita

....
....
....
....
....
....
....
....
....
....
....

Sólo queda una salida[1]:
entrar por la chimenea.
La cosa está decidida
porque merece la pena.
Y por el hueco de arriba
se tiran los dos de cabeza.
Por suerte o desventura[2],
caen justo en la artesa[3]
y, vestidos de blanco harina,
por el local se pasean.

1. **Sólo queda una salida:** sólo queda una solución, queda una sola cosa que hacer.
2. **desventura:** desgracia, mala suerte.
3. **artesa:** recipiente de madera donde se suele amasar el pan.

✎ Di cuáles de estas cosas traen mala suerte.

✎ Escribe alguna superstición típica de tu país.

....

....

....

....

"**¡A**hí está el roscón!".
Le han echado la vista encima[1],
pero el estante es muy alto.
¿Cómo llegar ahí arriba?
Cavila que te cavila[2],
encuentran la solución.
Necesitan un escalón
y se suben a una silla.
Dentro de poco instantes,
llenarán sus hambrientas barrigas.
"¡Aaaaaaaaaaaaaaaaaaaaah!"
¡Han perdido el equilibrio!
¡Qué inevitable caída!

1. **echar la vista encima:** ver.
2. **Cavila que te cavila:** piensa que te piensa. Pensar mucho.

✎ **Completa con las definiciones.**

1. Trabajar la harina con el agua.
2. Dulces típicos del desayuno.
3. Lugares donde se cuecen los dulces.
4. Lugar donde se prepara la comida.
5. Recipiente donde guarda la harina el pastelero.
6. Ingrediente casi indispensable para hacer un dulce.

1. _ M_ _ _ _
2. _ O _ _ _ _
3. _ _ R _ _ _
4. _ _ _ I _ _
5. _ _ T _ _ _
6. _ Z _ _ _ _

¡**P**lof!
La masa recién preparada
amortigua el batacazo[1],
pero cubiertos de pasta
de los pies a las pestañas
no consiguen dar un paso[2].
¡Pum!
¡Ha llegado el pastelero!
¡Repámpanos[3]! ¡Qué veo!
¡Se les va a caer el pelo[4]!

1. **batacazo:** caída fuerte y ruidosa.
2. **dar un paso:** caminar, moverse.
3. **Repámpanos:** exclamación de enfado o sorpresa.
4. **se les va a caer el pelo:** se la van a ganar, van a recibir un castigo por lo que han hecho.

✎ **Forma palabras que indiquen un golpe con los siguientes sustantivos y el sufijo -AZO.**

golpe...

zapato..

tacón...

puerta ....

coleta ....

cabeza...

rodilla..

bastón..

pelota..

silla ....

escoba...

sartén ....

martillo...

puño ....

mano ....

torta ....

cachete..

El pastelero está negro, furioso.
¿Cómo osan[1] robarle sus dulces
ese par de mocosos[2]?
Ni corto ni perezoso[3]
los coloca en la mesa,
los amasa lentamente,
los espolvorea de harina
y en el horno, aún caliente,
con la gran pala los mete.

1. **osar:** atreverse, hacer algo un poco audaz.
2. **mocoso:** niño osado, atrevido, que demuestra la inmadurez típica de su edad.
3. **Ni corto ni perezoso:** sin pensárselo dos veces.

✎ **Di si las siguientes frases son verdaderas o falsas.**

                                                    V F

– Max y Moritz ven la puerta
  cerrada y entran por la ventana.   ☐ ☐

– Max y Moritz se suben encima de la
  mesa para poder coger los dulces. ☐ ☐

– Max y Moritz caen dentro de la masa
  que ha preparado el pastelero.   ☐ ☐

– Cuando el pastelero ve a los niños
  se queda sorprendido.   ☐ ☐

– El pastelero siente compasión
  por Max y Moritz.   ☐ ☐

✎ **Escribe las frases falsas como son en realidad.**

....
....
....
....
....

Pensaréis que para ellos
éste es el gran final.
Las apariencias engañan.
Escuchad y observad.
Ñam ñam crac crac
Como dos ratoncitos
van royendo el envoltorio[1].
Ñam ñam crac crac
El agujero es satisfactorio.
"Gracias por la merienda",
se les oye comentar.
Para sorpresa de todos,
han logrado[2] escapar.

1. **envoltorio:** cobertura.
2. **lograr:** conseguir.

✎ **Aquí tienes unos sonidos onomatopéyicos. Di a qué acción pertenecen.**

Ñam	dormir
Zzzzz	estornudar
Atchís	hablar
Muac	besar
Ejem	carraspear
Glu glu	comer
Aaahh	ahogarse
Chin chin	gritar
Bla bla	brindar

✎ **Ahora prueba con estas voces de animales**

¡Guau! ....

¡Miau! ....

¡Bee! ....

¡Muu! ....

¡Hiii! ....

¡Auu! ....

LA ÚLTIMA TRAVESURA

Max y Moritz no escarmientan[1].
Han estado en peligro de muerte,
pero no han aprendido nada,
pues las ganas de trastadas[2]
son todavía muy fuertes.
En el granero de Paco
están rajando unos sacos.
Así es como se divierten.
Sois unos inconscientes
y no sabéis hasta cuándo
os acompañará la suerte.

1. escarmentar: aprender la lección.
2. trastada: travesura, diablura.

✎ Responde a las preguntas.

¿Pensabas tú también que éste era el final de Max y Moritz? ¿Por qué?

....

....

¿Cómo crees que se siente el pastelero? ¿Por qué?

....

....

¿A qué se refieren cuando dicen "Gracias por la merienda"?

....

....

¿Crees que estaba buena la galleta?

....

....

¿Cuáles son tus dulces preferidos?

....

....

Llega Paco, el granjero[1].
Es un día de trabajo
y el trigo ha de cargar[2]
hasta el molino del pueblo.
Coge un saco.
Da un paso
y lo nota más ligero.
Otro paso…
¿Aún más llevadero[3]?
"¡Maldición! –gruñe–.
¡Estoy perdiendo el grano!
¡Este saco tiene un agujero!"

1. **granjero:** que tiene una granja, con campo y animales.
2. **ha de cargar:** debe, tiene que llevar.
3. **llevadero:** fácil de llevar.

✎ **¿Dónde se venden estos productos?**

| panadería • estanco • frutería • papelería |

....

....

....

....

....

R28844N

Extrañado ante este hecho,
mira a su alrededor[1]…
¡Los ha localizado!
"¡Eh! ¡Vosotros dos!"
Sus cabezas emergen
entre el trigo derramado[2].
"¡Sé muy bien quiénes sois:
la ruina de mis paisanos!
–grita Paco con furor–.
Esta vez os he pillado[3]
y vais a aprender la lección".

1. **a su alrededor:** a su derecha, su izquierda, delante, detrás…
2. **derramado:** vertido, caído, esparcido.
3. **pillar:** atrapar, coger.

✎ **¿Qué están haciendo? Utiliza estos verbos.**

> hablar • sacar • amasar • llevar • caerse •
> entrar • escapar • caminar

....

....

....

....

....

....

....

....

La situación es grave.
Los jóvenes se dan cuenta,
precisamente por eso
corren hacia la puerta.
Pero Paco llega antes,
es más rápido que ellos.
De un salto[1] se planta[2] delante
impidiéndoles el acceso[3].
Los sujeta entre las piernas,
con la mano agarra el saco,
mete a uno, mete a otro,
y lo cierra bien cerrado.

1. **De un salto:** dando un solo salto.
2. **se planta:** se coloca, se pone.
3. **acceso:** salida.

✎ **Describe físicamente a Max y Moritz.**

....
....
....
....
....
....
....
....

✎ **Ahora describe a un amigo. Habla también de su carácter.**

....
....
....
....
....
....
....
....

Canturrea[1] Paco.

Está contento.

Es como exterminar una plaga
de indeseables insectos.

Max y Moritz se revuelven[2], patalean[3],
pero la tupida tela
ahoga cualquier protesta.

Y paso a paso,
con el saco a cuestas[4],
los tres al molino se acercan.

1. **Canturrear:** cantar a media voz.
2. **revolverse:** moverse, agitarse.
3. **patalear:** mover repetidamente las piernas.
4. **a cuestas:** sobre la espalda.

✎ **Pon un prefijo de negación a cada una de las palabras (a veces admiten dos distintos) y escribe debajo las que cambian totalmente de significado.**

> A · DES · DIS · IN

......afortunado   ......aparecer

......ayuno   ......confiar

......experto   ......firmar

......felicidad   ......gustar

......humano   ......merecer

......interés   ......parar

......moral   ......poner

......nato   ......probar

......normal   ......tender

......precio   ......traer

......simétrico   ......validar

....

....

....

No lo esperaba Benito.
"¿Qué haces aquí, Paco?"
"Te he traído un trabajito.
Un saco de trigo bueno
que, si tú tienes tiempo,
quisiera moler ahora mismo".
"¡Claro, amigo!"
Cric crac cric crac
Mientras el trigo se muele,
ellos se ponen a hablar.
"¡Qué ruido tan raro hace!",
comenta por comentar.
Paco, tranquilo, responde:
"Se trata de un trigo especial".

✎ **Escribe el presente de indicativo de los siguientes verbos.**

moler	hacer	tener	revolver
....	....	....	....
....	....	....	....
....	....	....	....
....	....	....	....
....	....	....	....
....	....	....	....

✎ **Escribe el pretérito indefinido de los siguientes verbos.**

estar	ser	poner	querer
....	....	....	....
....	....	....	....
....	....	....	....
....	....	....	....
....	....	....	....
....	....	....	....

Las siluetas dibujadas
de los niños en el suelo
son la escena final
de la historia ilustrada
de este par de bribonzuelos[1].
Dos patos que pasan por el lugar
se pegan un atracón[2].
Y como es un grano especial,
tardan muy poco en defecar.

1. **bribonzuelo:** diminutivo de "bribón". Pícaro.
2. **pegarse un atracón:** comer mucho.

✎ **Contesta a las preguntas.**

¿Para qué sirve una chimenea?

....

¿Para qué sirve un saco?

....

¿Para qué sirve el trigo?

....

¿Para qué sirve un molino?

....

¿Para qué sirve la harina?

....

¿Para qué sirve una puerta?

....

¿Para qué sirve un horno?

....

Cuando los aldeanos
se enteran de lo ocurrido,
dan un profundo suspiro
y comentan aliviados[1]:
"¡Se lo había advertido!"
"¡Se lo tienen merecido!"
"¡Es un justo castigo!"
Paco se hace el loco[2]
y todos celebran contentos
pues, por fin, se han librado
de ese par de tormentos[3].

1. **aliviado:** consolado porque le han quitado un peso.
2. **hacerse el loco:** fingir que la cosa no le concierne.
3. **tormento:** tortura, suplicio.

✎ **Prueba a hacer una rima utilizando algunas de estas palabras.**

lección • comportar • mal • bien • enseñar •
aprender • consejo • escarmentar •
situación • pellejo

....

....

....

....

....

✎ **¿Cuál es la moraleja de esta historia?**

....

....

....

....

....

....

• PRIMERAS LECTURAS •

Arciniega	EL MAGO PISTOLERO
Arciniega	TERREMOTO EN MÉJICO D.F.
Busch	MAX Y MORITZ
Cerrada Dahl	TITANIC
de la Helguera	LA MÁSCARA DE BELLEZA
Del Monte	JUEGA CON LA GRAMÁTICA ESPAÑOLA
Diez	EL CARNAVAL DE RÍO DE JANEIRO
Diez	EL GATO GOLOSO
Hoffmann	PEDRO MELENAS
Maqueda	EL FANTASMA CATAPLASMA

• LECTURAS SIMPLIFICADAS •

Anónimo	EL CID CAMPEADOR
Anónimo	EL LAZARILLO DE TORMES
Arciniega	EVITA PERÓN
Arciniega	LOS SUPERVIVIENTES DE LOS ANDES
Bazaga Alonso	EL MISTERIO DE MOCTEZUMA
Bazaga Alonso	EL MONSTRUO DE LAS GALÁPAGOS
Carmos	LA NIÑA DE ORO
Cervantes	DON QUIJOTE DE LA MANCHA
Cervantes	RINCONETE Y CORTADILLO
Del Monte	JUEGA CON LA GRAMÁTICA ESPAÑOLA
Gómez	RAPA NUI. El misterio de la Isla de Pascua
Mendo	EL CASO DEL TORERO ASESINADO
Mendo	DELITO EN CASABLANCA
Shelley	FRANKENSTEIN
Toledano	EL TRIÁNGULO DE LAS BERMUDAS
Ullán Comes	DELITO EN ACAPULCO
Ullán Comes	EL VAMPIRO

• LECTURAS SIN FRONTERAS •

Anónimo	EL ROMANCERO VIEJO
Arciniega	AMISTAD
Bazaga Alonso	LA ARMADA INVENCIBLE
Del Monte	JUEGA CON LA GRAMÁTICA ESPAÑOLA
Gómez	LA ISLA ENCANTADA
Ibáñez	ENTRE NARANJOS
Manuel	EL CONDE LUCANOR
Tirso de Molina	EL BURLADOR DE SEVILLA
Ullán Comes	LA NOCHE DE HALLOWEEN

• CLÁSICOS DE BOLSILLO •

Alarcón	EL SOMBRERO DE TRES PICOS
Anónimo	EL LAZARILLO DE TORMES
Bazán	LA GOTA DE SANGRE y otros cuentos policíacos
Bécquer	LEYENDAS
Calderón de la Barca	LA VIDA ES SUEÑO
Cervantes	NOVELAS EJEMPLARES
Clarín	CUENTOS
de Rojas	LA CELESTINA
Donoso	EL LUGAR SIN LÍMITES
Galdós	TRAFALGAR
Lope de Vega	NOVELAS A MARCIA LEONARDA
Moratín	EL SÍ DE LAS NIÑAS
Quevedo	EL BUSCÓN
Valera	LA BUENA FAMA y otros cuentos
Zorrilla	DON JUAN TENORIO

• EASY READERS •

Alcott	LITTLE WOMEN
Barrie	PETER PAN
Baum	THE WIZARD OF OZ
Bell	PLAY WITH ENGLISH GRAMMAR
Bell	PLAY WITH ENGLISH WORDS
Bell	PLAY WITH THE INTERNET
Bell	PLAY WITH... VOCABULARY
Brontë	WUTHERING HEIGHTS
Burnett	THE SECRET GARDEN
Carroll	ALICE IN WONDERLAND
Cooper	THE LAST OF THE MOHICANS
Coverley	THE CHUNNEL
Coverley	THE GREAT TRAIN ROBBERY
Defoe	ROBINSON CRUSOE
Demeter	ATTACK ON FORT KNOX
Demeter	JOHNNY THE GODFATHER
Dickens	A CHRISTMAS CAROL
Dickens	OLIVER TWIST
Dolman	KING ARTHUR
Dolman	ROBIN HOOD STORIES
Dolman	THE LOCH NESS MONSTER
Dolman	THE SINKING OF THE TITANIC
Dolman	THE STORY OF ANNE FRANK
Grahame	THE WIND IN THE WILLOWS
Haggard	KING SOLOMON'S MINES
Hetherington	THE BATTLE OF STALINGRAD
James	GHOST STORIES
Jerome	THREE MEN IN A BOAT
Kingsley	THE WATER BABIES
Kipling	JUNGLE BOOK STORIES
London	THE CALL OF THE WILD
London	WHITE FANG
Melville	MOBY DICK
Poe	BLACK TALES
Raspe	BARON MÜNCHHAUSEN
Scott	AMERICAN INDIAN TALES
Scott	FOLK TALES
Scott	IVANHOE
Shakespeare	ROMEO AND JULIET
Shakespeare	MIDSUMMER NIGHT'S DREAM
Shelley	FRANKENSTEIN
Spencer	THE GIRL FROM BEVERLY HILLS
Stevenson	DR JEKILL AND MR HYDE
Stevenson	TREASURE ISLAND
Stoker	DRACULA
Stowe	UNCLE TOM'S CABIN
Swift	GULLIVER'S TRAVELS
Twain	TOM SAWYER
Twain	HUCKLEBERRY FINN
Twain	THE PRINCE AND THE PAUPER
Wallace	KING KONG
Whelan	A STATUE OF LIBERTY
Whelan	DRACULA'S WIFE
Wrenn	PEARL HARBOR
Wright	DRACULA'S TEETH
Wright	ESCAPE FROM SING-SING
Wright	THE ALIEN
Wright	THE BERMUDA TRIANGLE
Wright	THE MUMMY
Wright	THE MURDERER
Wright	THE NINJA WARRIORS
Wright	THE WOLF
Wright	YETI THE ABOMINABLE SNOWMAN

• INTERMEDIATE READERS 🎧 •

Austen	EMMA
Austen	PRIDE AND PREJUDICE
Bell (NO CASSETTE/CD)	PLAY with ENGLISH GRAMMAR
Bell (NO CASSETTE/CD)	PLAY with English WORDS
Bell (NO CASSETTE/CD)	PLAY with...VOCABULARY

Play and Learn... ARIES • TAURUS • GEMINI • CANCER • LEO • VIRGO • LIBRA • SCORPIO • SAGITTARIUS • CAPRICORN • AQUARIUS • PISCES

	BEOWULF
Brontë	JANE EYRE
Bunyan	THE PILGRIM'S PROGRESS
Chaucer	THE CANTERBURY TALES
Collins	THE WOMAN IN WHITE
Coverley	MY GRANDDAD JACK THE RIPPER
Defoe	MOLL FLANDERS
Fielding	JOSEPH ANDREWS
Fielding	TOM JONES
Hardy	FAR FROM THE MADDING CROWD
Hawthorne	THE SCARLET LETTER
James	THE PORTRAIT OF A LADY
James	WASHINGTON SQUARE
Lawrence	LADY CHATTERLEY'S LOVER
Lawrence	WOMEN IN LOVE
Leroux	THE PHANTOM OF THE OPERA
Richardson	PAMELA
Thackeray	VANITY FAIR
Schreiner	STORY OF AN AFRICAN FARM
Shakespeare	ANTONY AND CLEOPATRA
Shakespeare	AS YOU LIKE IT
Shakespeare	HAMLET
Shakespeare	HENRY V
Shakespeare	KING LEAR
Shakespeare	MACBETH
Shakespeare	MUCH ADO ABOUT NOTHING
Shakespeare	OTHELLO
Shakespeare	ROMEO AND JULIET
Shakespeare	The MERRY WIVES of WINDSOR
Stevenson	KIDNAPPED
Wright	AMISTAD
Wright	BEN HUR
Wright	HALLOWEEN
Wright	RAPA NUI
Wright	THE BERMUDA TRIANGLE
Wright	THE MONSTER OF LONDON
Wright	WITNESS

• POCKET CLASSICS (selection) •

Conrad	HEART OF DARKNESS
Dickens	A CHRISTMAS CAROL
Dickinson	🎧 SELECTED POEMS
Doyle	SHERLOCK HOLMES
James	THE TURN OF THE SCREW
Jerome	THREE MEN IN A BOAT
Lawrence	🎧 ENGLAND, MY ENGLAND
London	THE CALL OF THE WILD
Mansfield	IN A GERMAN PENSION
Maugham	RAIN
Melville	BILLY BUDD, SAILOR
Poe	THE MURDERS IN THE RUE MORGUE
Shakespeare	AS YOU LIKE IT
Shakespeare	🎧 A MIDSUMMER NIGHT'S DREAM
Shakespeare	MUCH ADO ABOUT NOTHING
Shaw	MRS WARREN'S PROFESSION
Shelley	🎧 FRANKENSTEIN
Stevenson	DR JEKYLL AND MR HYDE
Whitman	LEAVES OF GRASS
Wilde	🎧 AN IDEAL HUSBAND
Wilde	🎧 THE IMPORTANCE OF BEING EARNEST
Wilde	THE PICTURE OF DORIAN GRAY

© 2003 La Spiga languages · IMPRIME TECHNO MEDIA REFERENCE · MILÁN · ITALIA
DISTRIBUIDO POR MEDIALIBRI · VIA IDRO 38 · 20132 MILÁN · ITALIA · TEL. 02 27207255· FAX 02 2567179